찬송가 조에 맞춘

색소폰 앙상블 100 선곡집

BOOK 1

이왕제(Leewangjae) 편저

책머리에

색소폰이 이조(조옮김)악기여서 찬송가와 음높이가 달라 예배의 회중 찬송이나 피아노, 오르간과 함께 연주하기에 어려움이 있어 찬송가 조에 맞춘 색소폰 앙상블 100 선곡집 1권을 내놓게 되었습니다.

이 책이 예배의 회중 찬송, 피아노나 오르간 반주에 맞춘 독주, 중주, 특별찬양, 다양한 편성의 앙상블 악보로 교회음악과 연주 활동에 활용되기를 기대합니다.

교회음악이 대중음악화 되어가는 이 시대에 교회음악 영성 회복의 조그마한 씨앗이 되기를 바라며, 이 책을 만들 수 있는 동기와 가르침을 주신 고 나운영 박사님을 추모하며 존경의 마음으로 감사드립니다.

2024년 3월

이 왕 제

찬송가 색소폰 앙상블 100 선곡집 목록표

번 호	곡 명	번 호	곡 명
1	갈보리산 위에(135. 새150장)	28	내 주여 뜻대로(431. 새549장)
2	거룩한 밤(새622장)	29	내 주의 보혈은(186. 새254장)
3	겸손히 주를 섬길 때(347. 새212장)	30	내 진정 사모하는(88. 새88장)
4	고생과 수고가 다 지난 후(289. 새610장)	31	내 평생에 가는 길(470. 새413장)
5	고요한 밤 거룩한 밤(109. 새109장)	32	너 근심 걱정 말아라(432. 새382장)
6	고통의 멍에 벗으려고(330. 새272장)	33	너 시험을 당해(395. 새342장)
7	괴로운 인생길 가는 몸이(290. 새479장)	34	너 예수께 조용히 나가(483. 새539장)
8	구주와 함께 나 죽었으니(465. 새407장)	35	네 병든 손 내밀라고(530. 새472장)
9	귀하신 주여 날 붙드사(490. 새433장)	36	때 저물어 날 이미 어두니(531. 새481장)
10	그 맑고 환한 밤중에(112. 새112장)	37	마음속에 근심 있는 사람(484. 새365장)
11	나 같은 죄인 살리신(405. 새305장)	38	멀리 멀리 갔더니(440. 새387장)
12	나 어느날 꿈속을 헤매며(84. 새134장)	39	목마른 내 영혼(409. 새309장)
13	나 주를 멀리 떠났다(331. 새273장)	40	믿는 사람들은 군병 같으니(389. 새351장)
14	나 주의 도움 받고자(349. 새214장)	41	변찮는 주님의 사랑과(214. 새270장)
15	나의 갈 길 다 가도록(434. 새384장)	42	빛나고 높은 보좌와(27. 새27장)
16	나의 영원하신 기업(492. 새435장)	43	샘물과 같은 보혈은(190. 새258장)
17	내 구주 예수를 더욱 사랑(511. 새314장)	44	선한 목자 되신 우리 주(442. 새569장)
18	내 기도하는 그 시간(482. 새364장)	45	성령이여 강림하사(177. 새190장)
19	내 너를 위하여(185. 새311장)	46	성자의 귀한 몸(356. 새216장)
20	내 맘이 낙심되며(406. 새300장)	47	슬픈 마음 있는 사람(91. 새91장)
21	내 모든 시험 무거운 짐을(363. 새337장)	48	십자가로 가까이(496. 새439장) 예수 나를 위하여(145. 새145장)
22	내 영혼의 그윽히 깊은 데서(469. 새412장)	49	아 하나님의 은혜로(410. 새310장)
23	내 영혼이 은총입어(495. 새438장)	50	아침 해가 돋을 때(358. 새552장)
24	내 주 되신 주를 참 사랑하고(512. 새315장)	51	양 아흔 아홉 마리는(191. 새297장)
25	내 주는 강한 성이요(384. 새585장)	52	어둔밤 쉬 되리니(370. 새330장)
26	내 주는 살아계시고(16. 새170장)	53	어디든지 예수 나를 이끌면(497. 새440장)
27	내 주를 가까이 하게 함은(364. 새338장)	54	어려운 일 당할때(342. 새543장)

번호	곡 명	번호	곡 명
55	여러 해 동안 주 떠나(336. 새278장)	83	주 하나님 지으신 모든 세계(40. 새79장)
56	예수가 함께 계시니(359. 새325장)	84	주를 앙모하는 자(394. 새354장)
57	예수는 나의 힘이요(93. 새93장)	85	주여 지난밤 내 꿈에(542. 새490장)
58	오 놀라운 구세주 예수 내 주(446. 새391장)	86	주의 곁에 있을 때(457. 새401장)
59	오 신실하신 주(447. 새393장)	87	주의 음성을 내가 들으니(219. 새540장)
60	우리 다시 만날 때까지(524. 새222장)	88	진실하신 주 성령(181. 새189장)
61	우리가 지금은 나그네 되어도(270. 새508장)	89	참 반가운 신도여(122. 새122장)
62	우리는 주님을 늘 배반하나(412. 새290장)	90	참 아름다워라(78. 새478장)
63	웬일인가 내 형제여(269. 새522장) 웬말인가 날 위하여(141. 새143장)	91	천부여 의지 없어서(338. 새280장)
64	이 눈에 아무 증거 아니 뵈어도(344. 새545장)	92	천사 찬송하기를(126. 새126장)
65	이 몸의 소망 무엔가(539. 새488장)	93	태산을 넘어 험곡에 가도(502. 새445장)
66	이 세상 험하고(197. 새263장)	94	피난처 있으니(79. 새70장)
67	이 세상에 근심된 일이 많고(474. 새486장)	95	하나님 아버지 주신 책은(241. 새202장)
68	이 세상의 모든 죄를(195. 새261장)	96	하늘 가는 밝은 길이(545. 새493장)
69	인애하신 구세주여(337. 새279장)	97	하늘에 계신(주기도문) (새635장)
70	자비하신 예수여(450. 새395장)	98	할렐루야 우리 예수(159. 새161장)
71	저 높은 곳을 향하여(543. 새491장)	99	험한 시험 물 속에서(463. 새400장)
72	저 들 밖에 한밤중에(123. 새123장)	100	환난과 핍박 중에도(383. 새336장)
73	죄짐 맡은 우리 구주(487. 새369장)	101	예수님은 사랑을 가르칠 때에(이왕제)
74	주 날개 밑 내가 편안히 쉬네(478. 새419장)	101-1	예수님은 사랑을 가르칠 때에(이왕제)-피아노4부
75	주 달려 죽은 십자가(147. 새149장)	102	예수 사랑하심은(이왕제)
76	주 안에 있는 나에게(455. 새370장)	102-1	예수 사랑하심은(이왕제)-피아노4부
77	주 없이 살 수 없네(415. 새292장)	103	욕심이 잉태하여 죄악을 낳고(이왕제)
78	주 예수 내 맘에 들어와 계신 후(208. 새289장)	103-1	욕심이 잉태하여 죄악을 낳고(이왕제)-피아노4부
79	주 예수 대문 밖에(325. 새535장)	104	선한 목자 되신 우리 주(이왕제)
80	주 예수보다 더 귀한 것은 없네(102. 새94장)	104-1	선한 목자 되신 우리 주(이왕제)-피아노4부
81	주 예수여 은혜를(486. 새368장)	105	하늘에 계신 우리 아버지(이왕제)
82	주 음성 외에는(500. 새446장)	105-1	하늘에 계신 우리 아버지(이왕제)-피아노4부

이 책의 활용법

1. 가사는 1절과 마지막 절만 기록하였다.

2. 위 보표(악보)의 위 음은 **E flat조** 악기 알토 색소폰 1(멜로디), 아래 음은 알토 색소폰2(화음)로 연주, 바리톤 색소폰은 알토 색소폰2(화음) 파트를 연주하고 알토 색소폰1(멜로디) 연주도 좋다. **E flat조**(소프라노 클라리넷, 알토 클라리넷) 악기로 연주해도 된다.

3. 아래 보표(악보)의 위 음은 **B flat조** 악기 테너 색소폰(화음), 아래 음은 소프라노 색소폰(멜로디)이 연주, 테너 색소폰이 여럿이면 두 파트로 나누어 아래 음을 옥타브 올려 멜로디를 연주한다. **B flat조**(B flat 클라리넷, 베이스 클라리넷, 트럼펫) 악기로 연주해도 된다.

4. **C조** 악기는(피아노, 오르간, 바이올린, 비올라, 첼로, 플루트, 오보에, 바순, 트럼본) **찬송가**(통일찬송가, **새찬송가**) **악보**로 함께 연주하면 된다.

5. **찬송가(성가)**는 여흥을 위한 곡이 아니고 **예배의 영적 찬양곡**이기에 현란한 기교나 연주력을 과시하려 말고 곡의 원음에 가감없이 정확한 음정과 리듬으로 피아노, 오르간에 맞춰 **신령과 진정**으로 연주하는 예배자가 되시길 바랍니다.

1. 갈보리산 위에(135. 새150장)

G.Bennard/G.Bennard Arr. Leewangjae

Alto 1. 2(Bar) Sax.

Tenor. Soprano Sax.

1.갈 보 리 산 위에 십 자 가 섰으니 주 가
4.주 가 예 비하신 나의 본 향 집에 나를

고 난을 당한표 라 지 험 한 십 자 가를 내 가
부 르실 그날까 지 험 한 십 자 가를 항 상

사 랑함은 주 가 보 혈을 흘림일 세 최 후
달 게지고 내 가 죽 도록 충성하 리

승 리를얻기까 지 주 의 십 자가사랑하 리 빛 난

면 류관받기까 지 험 한 십 자가붙들겠 네

2. 거룩한 밤(새622장)

Adolphe Adam. Arr. Leewangjae

밝아 오도다 　 무 　 릎꿇고 　 　 천 사 　 와화답
높이기리세 　 예 수님 　 　 그 이 　 름영원

하 라 리 오 거 룩 한밤 　 주님탄 　 생하신
하 　 리 다 선 　 포한세 　 주 님 크 　 신능력

밤을 거 이 룩 밤 거 거 룩 거 룩 거 룩한

밤 룩 거 룩 거 룩한밤

3. 겸손히 주를 섬길 때(347. 새212장)

W.Gladden/H.P.Smith Arr. Leewangjae

4. 고생과 수고가 다 지난 후(289. 새610장)

C.H.Gabriel/C.H.Gabriel Arr. Leewangjae

5. 고요한 밤 거룩한 밤(109. 새109장)

J.Mohr/F.X.Gruber. Arr. Leewangjae

6. 고통의 멍에 벗으려고(330. 새272장)

W.T.Sleeper/G.C.Stebbins. Arr. Leewangjae

7. 괴로운 인생길 가는 몸이(290. 새479장)

T.R.Taylor/CAMBRIA. Arr. Leewangjae

8. 구주와 함께 나 죽었으니(465. 새407장)

D.W.Whittle/M.W.Moody Arr. Leewangjae

9. 귀하신 주여 날 붙드사(490. 새433장)

L.N.Morris/L.N.Morris. Arr. Leewangjae

10. 그 맑고 환한 밤중에(112. 새112장)

E.H.Sears/R.S.Willis. Arr. Leewangjae

Alto 1. 2(Bar) Sax.

Tenor. Soprano Sax.

1.그 맑 고 환 한 밤 중 에 뭇 천 사 내 려
4.옛 선 지 예 언 응 하 여 베 들 레 헴 성 중

와 그 손 에 비 파 들 고 서 다 찬 송 하 기 를 평 저
에 주 예 수 탄 생 하 시 니 온 세 상 구 주 라

강 의 왕 이 오 시 니 다 평 안 하 여 라 그 온
천 사 기 쁜 노 래 를 또 다 시 부 르 니 온

소 란 하 던 세 상 이 다 고 요 하 도 다
세 상 사 는 사 람 들 다 화 답 하 도 다

11. 나 같은 죄인 살리신(405. 새305장)

Arr. E.O.Excell Arr. Leewangjae

Alto 1. 2(Bar) Sax.

Tenor. Soprano Sax.

12. 나 어느날 꿈속을 헤매며(84. 새134장)

L.N.Morris. Arr. Leewangjae

13. 나 주를 멀리 떠났다(331. 새273장)

W.J.Kirkptrick. Arr. Leewangjae

14. 나 주의 도움 받고자(349. 새214장)

E.H.Hamilton/I.D.Sankey. Arr. Leewangjae

15. 나의 갈 길 다 가도록(434. 새384장)

F.J.Crosby/R.Lowry. Arr. Leewangjae

16. 나의 영원하신 기업(492. 새435장)

S.J.Vail. Arr. Leewangjae

17. 내 구주 예수를 더욱 사랑(511. 새314장)

E.P.Preatiss/W.H.Doane. Arr. Leewangjae

18. 내 기도하는 그 시간(482. 새364장)

W.B.Bradbury. Arr. Leewangjae

19. 내 너를 위하여(185. 새311장)

F.R.Havergal/P.P.Bliss. Arr. Leewangjae

20.내 맘이 낙심되며(406. 새300장)

J.B.Evans. Arr. Leewangjae

Alto 1. 2(Bar) Sax.

Tenor. Soprano Sax.

1.내 맘 이 낙 심 되 며 근 심 에 눌 릴 때
3.번 민 이 가 득 차 고 눈 물 이 흐 를 때

주 께 서 내 게 오 사 위 로 해 주 시 네 가 는 길 캄 캄 하 고
주 나 의 곁 에 오 사 용 기 를 주 시 네 환 난 이 닥 쳐 와 서

괴 로 움 많 으 나 주 께 서 함 께 하 며 내 짐 을 지 시 기
슬 픔 에 잠 길 때 주 님 의 능 력 하 입 며 원 수 를 이 기

네 그 은 혜 가 내 게 족 하 네 그 은 혜 가 족 하 네 이
네

괴 론 세 상 나 지 날 때 그 은 혜 가 족 하 네

21. 내 모든 시험 무거운 짐을(363. 새337장)

통일찬송가 363장

E.A.Hoffman. Arr. Leewangjae

22. 내 영혼의 그윽히 깊은 데서(469. 새412장)

W.P.Cornell/W.G.Cooper. Arr. Leewangjae

23. 내 영혼이 은총입어(495. 새438장)

C.F.Butler/J.M.Black. Arr. Leewangjae

Alto 1. 2(Bar) Sax.

Tenor. Soprano Sax.

1.내 영혼 이 은 총 입 어 중 한 죄 짐 벗 고 보
3.높 은 산 이 거 친 들 이 초 막 이 나 궁 궐 이

니 슬 픔 많 은 이 세 상 도 천 국 으 로 화 하 도
나 내 주 예 수 모 신 곳 이 그 어 디 나 하 늘 나

다 할 렐 루 야 찬 양 하 세 내 모 든 죄 사 함 받
라

고 주 예 수 와 동 행 하 니 그 어 디 나 하 늘 나 라

24. 내 주 되신 주를 참 사랑하고(512. 새315장)

W.R.Featherstone/A.J.Gordon. Arr. Leewangjae

25. 내 주는 강한 성이요(384. 새585장)

F.W.Faber/H.F.Hemy. Arr. Leewangjae

26. 내 주는 살아계시고(16. 새170장)

통일찬송가 16장

C.Wesley/G.F.Handel. Arr. Leewangjae

Alto 1. 2(Bar) Sax.

Tenor. Soprano Sax.

27. 내 주를 가까이 하게 함은(364. 새338장)

S.F.Adams/L.Mason. Arr. Leewangjae

28. 내 주여 뜻대로(431. 새549장)

C. M. von Weber/B. Schmolck. Arr. Leewangjawe

29. 내 주의 보혈은(186. 새254장)

L.Hartsough. Arr. Leewangjae

30. 내 진정 사모하는(88.새88장)

C.W.Fry. Arr. Leewangjae

Alto 1. 2(Bar) Sax.

Tenor. Soprano Sax.

1.내 진정 사모하는 친 구가 되시는 구주
3.내 맘을 다하여서 주 님을 따르면 길이

예수님은 아름다와 라 산 밑의 백합화요 빛 나는 새벽별 주님
길이 나를 사랑하리 니 산 물불이 두렵잖고 창 검이 겁없네 주는

형언할길 아주없도 다 내 맘이 아플적에 큰 위로되시며 나
높은 산성 내 방패시 라 내 영혼 먹이시는 그 은혜누리고 나

외로울때 좋은친구 라 주는 저 산밑에 백합 빛 나는 새벽별 이땅
친히주를 뵙기원하 네

위에 비길깃이 없도 다 아 멘

31. 내 평생에 가는 길(470. 새413장)

H.G.Spafford/P.P.Bliss. Arr. Leewangjae

32. 너 근심 걱정 말아라(432. 새382장)

W.S.Martin. Arr. Leewangjae

Alto 1. 2(Bar) Sax.

Tenor. Soprano Sax.

1.너 근 심 걱 정 말 아 라 주 너 를 지 키
4.어 려 운 시 험 당 해 도 주 너 를 지 키

리 주 날 개 밑 에 거 하 라 주 너 를 지 키 리
리 구 주 의 품 에 거 하 라 주 너 를 지 키 리

주 너 를 지 키 리 아 무 때 나 어 디 서 나 주 너 를

지 키 리 늘 지 켜 주 시 리 (너 를) 아 멘

33. 너 시험을 당해(395. 새342장)

통일찬송가 395장

H.R.Palmer. Arr. Leewangjae

34. 너 예수께 조용히 나가(483. 새539장)

E.E.Hewitt/W.J.Kirkpatrick. Arr. Leewangjae

35. 네 병든 손 내밀라고(530. 새472장)

A.B.Simpson/A.B.Simpson. Arr. Leewangjae

36. 때 저물어 날 이미 어두니(531. 새481장)

W. H. Monk Arr. Leewangjae

Alto 1. 2(Bar) Sax.

Tenor. Soprano Sax.

1.때 저 물 어 날
4.이 육 신 쇠 해

이 미 어 두 니 때 구 주 여 가 나 밝 을 와 히
눈 을 감 을 때 십 자 가 나 밝 을 와 히

함 께 하 소 서 서 내 친 구 나 를
보 여 주 소 서 서 내 모 든 슬 픔

위 로 못 할 때 날 돕 는 주 여 함 께
위 로 하 시 고 생 명 의 주 여 함 께

하 소 서 서 이 맨
하 소 서 서

37. 마음속에 근심 있는 사람(484. 새365장)

J.E.Rankin/E.S.Lorenz. Arr. Leewangjae

38. 멀리 멀리 갔더니(440. 새387장)

W.G.Fischer. Arr. Leewangjae

Alto 1. 2(Bar) Sax.

Tenor. Soprano Sax.

1.멀 리 멀 리 갔 더 니 처 량 하 고 곤 하
3.다 니 다 가 쉴 때 에 쓸 쓸 한 곳 만 나

며 슬 프 고 또 외 로 와 정 처 없 이 다 니 니 예 수
도 홀 로 있 게 마 시 고 주 여 보 호 하 소 서

예 수 내 주 여 지 금 내 게 오 셔 서 떠 나 가 지 마 시

고 길 이 함 께 하 소 서 아 멘

39. 목마른 내 영혼(409. 새309장)

H. L. Gilmour. Arr. Leewangjae

40. 믿는 사람들은 군병 같으니(389. 새351장)

S.B.Gould/A.S.Sullivan. Arr. Leewangjae

41. 변찮는 주님의 사랑과(214. 새270장)

S.F.Bennett/J.P.Webster. Arr. Leewangjae

42. 빛나고 높은 보좌와(27. 새27장)

S.Stennett/T.Hastings. Arr. Leewangjae

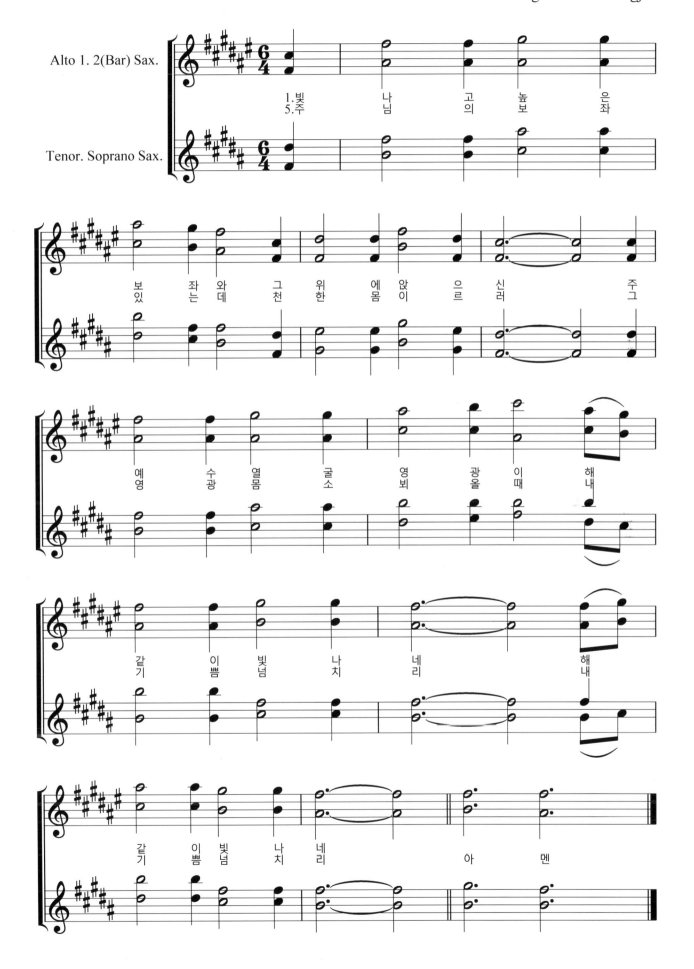

43. 샘물과 같은 보혈은(190. 새258장)

통일찬송가 190장

W.cowper/Arr.by L.Moson. Arr. Leewangjae

44. 선한 목자 되신 우리 주(442. 새569장)

D.A.Thrupp/W.B.Bradbury. Arr. Leewangjae

45. 성령이여 강림하사(177. 새190장)

E.H.Stokes/J.R.sweney. Arr. Leewangjae

46. 성자의 귀한 몸(356. 새216장)

S.D.Phelps/R.Lowry. Arr. Leewangjae

47. 슬픈 마음 있는 사람(91. 새91장)

L.Baxter/W.H.Doane. Arr. Leewangjae

Alto 1. 2(Bar) Sax.

Tenor. Soprano Sax.

1.슬 픈 마 음 있 는 사 람
4.우 리 갈 길 다 간 후 에

예 수 이 름 믿 으 면 영 원 토 록 변 함 없 는
보 좌 앞 에 나 아 가 왕 의 왕 께 경 배 하 며

기 쁜 마 음 얻 으 리 예 수 의 예 수 의 이 름
면 류 관 을 드 리 리

은 이 름 은 세 상 의 소 망 이 요 예 수 의 예 수 의 이 름

은 천 국 의 기 쁨 일 세

48. 십자가로 가까이(496. 새439장)

예수 나를 위하여(144. 새144장)

F.J.Crosby/W.H.Doane. Arr. Leewangjae

49. 아 하나님의 은혜로(410. 새310장)

50. 아침 해가 돋을 때(358. 새552장)

Anonymous. Arr. Leewangjae

51. 양 아흔 아홉 마리는(191. 새297장)

I.D.Sankey. Arr. Leewangjae

52. 어둔밤 쉬 되리니(370. 새330장)

A.L.Coghil/L.Mason. Arr. Leewangjae

53. 어디든지 예수 나를 이끌면(497. 새440장)

J.B.Pounds/D.B.Towner. Arr. Leewangjae

54. 어려운 일 당할때(342. 새543장)

E.P.stites/I.D.Sankey. Arr. Leewangjae

55. 여러 해 동안 주 떠나(336. 새278장)

R.Lowry/R.Lowry. Arr. Leewangjae

Alto 1. 2(Bar) Sax.

Tenor. Soprano Sax.

1.여 러 해 동 안 주 떠 나 세 상 연 락 을 즐 기
4.미 련 한 우 리 인 생 은 주 의 공 로 를 모 르

고 저 흉 악 한 죄 에 빠 져 서 그 은 혜 를 잊 었 네 오
고 그 쓸 쓸 한 사 막 가 운 데 늘 헤 메 고 다 녔 네

사 랑 의 예 수 님 내 맘 을 곧 엽 니 다 곧 들 어 와 나 와

동 거 하 며 내 생 명 이 되 소 서 아 멘

56. 예수가 함께 계시니(359. 새325장)

C.F.Weigele/C.F.Weigele. Arr. Leewangjae

57. 예수는 나의 힘이요(93. 새93장)

W.L.Tompson/W.L.Tompson. Arr. Leewangjae

58. 오 놀라운 구세주 예수 내 주(446. 새391장)

F.J.Crosby/W.J.Kirkpatrick. Arr. Leewangjae

59. 오 신실하신 주(447. 새393장)

T.O.Chisholm/W.M.Runyan. Arr.Leewangjae

60. 우리 다시 만날 때까지(524. 새222장)

J.E.Rankin/W.G.Tomer. Arr. Leewangjae

61. 우리가 지금은 나그네 되어도(270. 새508장)

E.T.Cassel/F.H.Cassel. Arr. Leewangjae

62. 우리는 주님을 늘 배반하나(412. 새290장)

S.Clough/I.D.Sankey. Arr. Leewangjae

63. 웬일인가 내 형제여(269. 새522장)

웬말인가 날 위하여(141. 새143장)

C.Wesley. Arr. Leewangjae

64. 이 눈에 아무 증거 아니 뵈어도(344. 새545장)

W.O.Cushing/R.Lowry. Arr. Leewangjae

65. 이 몸의 소망 무엔가(539. 새488장)

E.Mote/W.B.Bradbury. Arr. Leewangjae

66. 이 세상 험하고(197. 새263장)

통일찬송가 197장

E.M.Myers/J.T.Grape. Arr. Leewangjae

67. 이 세상에 근심된 일이 많고(474. 새486장)

H.L.Gilmore/G.D.Moore. Arr. Leewangjae

68. 이 세상의 모든 죄를(195. 새261장)

E.R.Lata/H.S.Perkins. Arr. Leewangjae

Alto 1. 2(Bar) Sax.

Tenor. Soprano Sax.

1.이 세 상 의 모 든 죄 를   맑 히 시 는 주 의 보
3.아 버 지 를 멀 리 떠 나   바 른 길 을 저 버 리

혈   성 자 예 수 그 귀 한 피   찬 송 하 고 찬 송 하 세 니
고   여 러 가 지 죄 악 으 로   주 홍 같 이 되 었 으 니

주 님 앞 을 멀 리 떠 나   길 을 잃 고 헤 맬 때 에
물 같 은 것 가 지 고 는   씻 을 수 가 아 주 없 네

나 의 뒤 를 따 라 오 사   친 히 구 원 하 셨 도 다
주 여 귀 한 보 배 피 로   날 정 결 케 하 옵 소 서

흰   눈 보 다 더   흰   눈 보 다 더

주 의 흘 리 신 보 혈 로   희 게 씻 어 주 옵 소 서   아 멘

69. 인애하신 구세주여(337. 새279장)

F.J.Crosby/W.H.Doane. Arr. Leewangjae

Alto 1. 2(Bar) Sax.

Tenor. Soprano Sax.

1.인 애 하 신 구 세 주 여
4.만 복 근 원 예 수 시 여

내 말 들 으 사 서 죄 인 오 라 하 실 때 에 이
위 로 하 소 서 우 리 주 와 같 으 신 이

날 부 르 소 서 서 주 여 주 여
어 디 있 을 까

내 말 들 으 사 죄 인 오 라 하 실 때 에

날 부 르 소 서 아 멘

70. 자비하신 예수여(450. 새395장)

T.Hastings/J.P.Holbrook. Arr. Leewangjae

Alto 1. 2(Bar) Sax.

Tenor. Soprano Sax.

1.자비하신 예수여 내가 사람가운
4.거룩하신 구주여 피로날 사셨으

데 의지할감 이없은 니 슬픈자할 가됩니
니 어찌감 사하온 지 말로할 수없도

다 맘이어 두웠으니 밝게하여 주소서 저를
다

보 호하시 고 항상인 도하소 서 아 멘

71. 저 높은 곳을 향하여(543. 새491장)

C. H. Gabriel. Arr. Leewangjae

72. 저 들 밖에 한밤중에(123. 새123장)

Traditional English Carol. Arr. Leewangjae

73. 죄짐 맡은 우리 구주(487. 새369장)

J.Scriven/C.C.Converse. Arr. Leewangjae

74. 주 날개 밑 내가 편안히 쉬네(478. 새419장)

W.O.Cushing/I.D.Sankey. Arr. Leewangjae

75. 주 달려 죽은 십자가(147. 새149장)

I.Watts/Arr. by Mason. Arr. Leewangjae

76. 주 안에 있는 나에게(455. 새370장)

E.E.Hewitt/W.J.Kirkpatrick. Arr. Leewangjae

77. 주 없이 살 수 없네(415. 새292장)

F.R.Havergal/S.Ferreti. Arr. Leewangjae

78. 주 예수 내 맘에 들어와 계신 후(208. 새289장)

R.H.McDaniel/C.H.Gabriel. Arr. Leewangjae

79. 주 예수 대문 밖에(325. 새535장)

W.W.How/J.H.Knecht. Arr. Leewangjae

80. 주 예수보다 더 귀한 것은 없네(102. 새94장)

Mrs.R.Miller/G.B.Shea. Arr. Leewangjae

81. 주 예수여 은혜를(486. 새368장)

Anonymous/Anonymous. Arr. Leewangjae

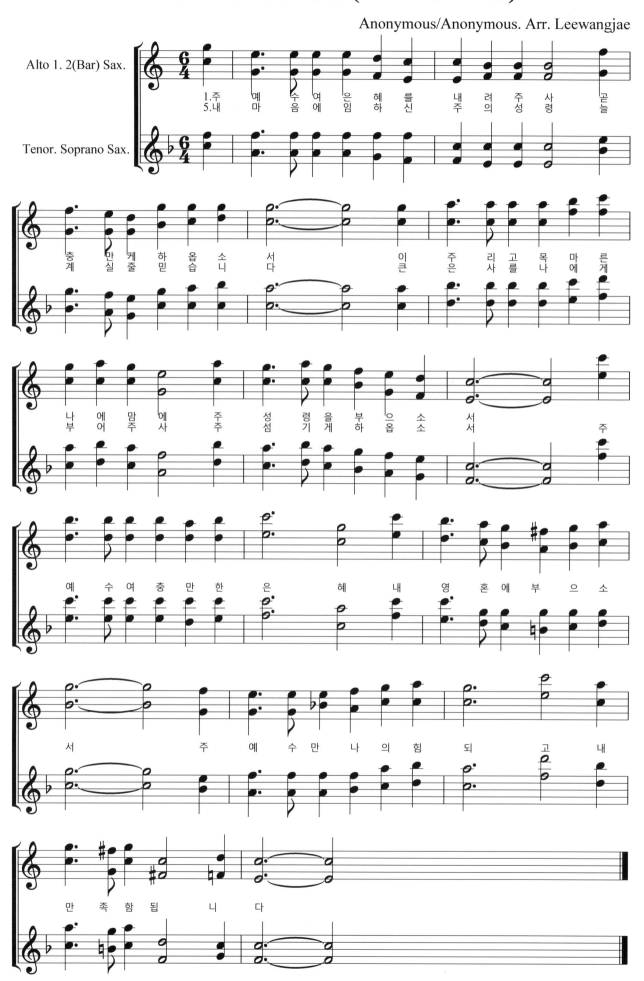

82. 주 음성 외에는(500. 새446장)

A. S. Hawks/R. Lowry. Arr. Leewangjae

83. 주 하나님 지으신 모든 세계(40. 새79장)

E.A Edgren. Arr. Leewangjae

84. 주를 앙모하는 자(394. 새354장)

85. 주여 지난 밤 내 꿈에(542. 새490장)

C.H.Gabriel. Arr. Leewangjae

86. 주의 곁에 있을 때(457. 새401장)

F.M.Davis/F.M.Davis. Arr. Leewangjae

87. 주의 음성을 내가 들으니(219. 새540장)

F.J.Crosby/W.H.Doane. Arr. Leewangjae

88. 진실하신 주 성령(181. 새189장)

M.M.Wells/M.M.Wells. Arr. Leewangjae

89. 참 반가운 신도여(122. 새122장)

Latin Hymn, 18th Century. Arr. Leewangjae

90. 참 아름다워라(78. 새478장)

M. D. Babcock, F. L. Sheppard. Arr. Leewangjae

91. 천부여 의지 없어서(338. 새280장)

C.Wesley/W.Shield. Arr. Leewangjae

92. 천사 찬송하기를(126. 새126장)

C.Wesley/F.Mendelssohn Arr. Leewangjae

Alto 1. 2(Bar) Sax.

Tenor. Soprano Sax.

1.천 사 찬 송 하 기 를 거 룩 하 신 왕
3.의 로 우 신 예 수 는 평 화 의 왕

구 이 주 시 께 고 영 세 광 상 돌 빛 려 이 보 되 내 시 세 며 구 우 주 리 오 생 늘 명

나 셨 네 크 고 작 은 나 라 들 기 뻐 화 답 하 여 라
되 셨 시 네 죄 인 들 을 불 러 서 거 듭 나 게 하 시 고

영 광 받 을 게 왕 의 왕 베 들 레 헴 에 나 신 주 라 영 영 광 받 을 게
영 생 하 게 하 시 니 왕 께 찬 양 하 여 영 생 하 게

왕 의 왕 베 들 레 헴 에 나 신 주 라 아 멘
아 시 니 읭 께 친 상 하 히 여 라

93. 태산을 넘어 험곡에 가도(502. 새445장)

H.J.Zelley/G.H.Cook. Arr. Leewangjae

Alto 1. 2(Bar) Sax.

Tenor. Soprano Sax.

1.태산을 넘 어 험곡에 가 도 빛가운
3.광명한 그 빛 마음에 받 아 명랑한

데 로 걸 어 가 면 주 게서 항 상 지 키 시
천 국 바 라 보 고 할 렐 루 야 를 힘 차 게

기 로 약 속한 말 씀 변 치않 네 하 늘의 영 광 하늘의
불 러 날 마다 빛 에 걸 어가 리

영 광 나 의맘 속 에 차 고 도 넘 쳐 할 렐 루

야 를 힘차게 불 러 영 원히 주 를 찬 양하 리

94. 피난처 있으니(79. 새70장)

H.Carey. Arr. Leewangjae

95. 하나님 아버지 주신 책은(241. 새202장)

P.P.Bliss/P.P.Bliss. Arr. Leewangjae

1.하 나 님 아 버 지 주 신 책 은
5.주 예 수 날 사 랑 하 시 오 니

귀 하 고 중 하 신 말 씀 일 세 기 쁘 고 반 가 운
마 귀 가 놀 라 서 물 러 가 네 주 예 수 이 렇 게

말 씀 중 에 날 사 랑 한 단 말 참 좋 도 다 주 나 를 사 랑
사 랑 하 니 우 리 는 어 떻 게 보 답 할 까

하 시 오 니 즐 겁 고 도 즐 겁 도 다 주 나 를 사 랑

하 시 오 니 나 는 참 기 쁘 다

96. 하늘 가는 밝은 길이(545. 새493장)

W.L.Swallen/Lady J.Scott. Arr. Leewangjae

97. 하늘에 계신(주기도문) (새635장)

A. H. Malotte. Arr. Leewangjae

98. 할렐루야 우리 예수(159. 새161장)

P.P.Bliss/P.P.Bliss. Arr. Leewangjae

99. 험한 시험 물 속에서(463. 새400장)

F.Woodrow/C.Fisher. Arr. Leewangjae

100. 환난과 핍박중에도(383. 새 336장)

F.W.Faber/H.F.Hemy. Arr. Leewangjae

이왕제(Leewangjae) 작곡

찬송가 5편

101. 예수님은 사랑을 가르칠 때에

세마치 장단 민요풍으로

이왕제 시.곡 Arr. Leewangjae

101-1. 예수님은 사랑을 가르칠 때에

PIANO (세마치 장단 민요풍으로)

작사.작곡 이왕제

102. 예수 사랑하심은

굿거리 장단 민요풍으로

(411.새563장) 이왕제 곡 Arr. Leewangjae

102-1. 예수 사랑하심은

PIANO (굿거리 장단 민요풍으로)

(411. 새563장) 작곡 이왕제

103. 욕심이 잉태하여 죄악을 낳고

이 왕 제 시.곡 Arr. Leewangjae

103-1. 욕심이 잉태하여 죄악을 낳고

PIANO

작사.작곡 이왕제

104. 선한 목자되신 우리 주

굿거리 장단 민요풍으로

(442. 새569장) 이왕제 곡 Arr. Leewangjae

104-1. 선한 목자되신 우리 주

PIANO (굿거리 장단 민요풍으로)

(442. 새569장) 작곡 이왕제

105. 하늘에 계신 우리 아버지

105-1. 하늘에 계신 우리 아버지

이왕제

* 1955년 충남 강경
* 목원대학교 음악대학원(음악석사)
* 클라리넷 전공(이규형 · 김정수 · 임현식 교수 사사)
* 논문 : 브람스 클라리넷 5중주 연주법적 고찰
          (지도교수 : 나운영 박사)
* 클라리넷 독주회 3회
* 서울윈드오케스트라 협연(지휘:서현석 교수)
* 저서
  ·소프라노 리코더 교본(1999년-예당음악출판사)
  ·색소폰 연주곡집(이왕제 색소폰·클라리넷 클래식연주법연구회)
  ·찬송가 조에 맞춘 색소폰 앙상블 100 선곡집 BOOK1 (2024년-부크크)
  ·찬송가 조에 맞춘 색소폰 앙상블 100 선곡집 BOOK2 (2024년-부크크)
  ·Saxophone을 위한 Solo. Unison. Ensemble 성가곡·클래식 편 (2024년-부크크)
  ·찬송가 조에 맞춘 Cello 2부 100 선곡집 BOOK1 (2024년-부크크)
  ·찬송가 조에 맞춘 Cello 2부 100 선곡집 BOOK2 (2024년-부크크)
* 동국대학교 전산원(DUICA)수료(컴퓨터 2정교사)
* 수도방위사령부군악대 병장(사령관 공로상 수상)
* (전)대전대신중 · 대성고등학교 콘서트밴드 지도교사
* (전)서울은광여자중고등학교 콘서트밴드 지도교사(청와대 연주)
* (전)홍익대학교사대부속여자중고등학교 오케스트라 지도교사
          (서울특별시교육감 공로상 수상 · 교육과학부장관 공로상 수상)
* (전)대한예수교장로회총회신학교(합동) 교회음악과 교수
* (전)강남교회 성가대 지휘자(김성광 목사-강남금식기도원 원장)
* (전)서울한가람교회 · 분당한울교회 성가대 지휘자(김근수 목사)
* (전)청원윈드오케스트라 지휘자
          한국관악협회(KBA) 고 박종완회장 추모음악회 지휘
* (현)이왕제 색소폰·클라리넷 클래식연주법연구회(과천시1단지종합상가203호)
* (현)별내색소폰오케스트라 지휘자

도서명 : 찬송가 조에 맞춘 색소폰 앙상블 100 선곡집 1권

발 행 | 2024년 3월 5일
저 자 | 이왕제
펴낸이 | 한건희
펴낸곳 | 주식회사 부크크
출판사등록 | 2014.07.15.(제2014-16호)
주 소 | 서울특별시 금천구 가산디지털1로 119 SK트윈타워 A동 305호
전 화 | 1670-8316
이메일 | info@bookk.co.kr

ISBN | 979-11-410-7502-6

www.bookk.co.kr